# ビバップ・エチュード
## トロンボーン

**Jim Snidero**（ジム・スナイデロ）著

**Michael Dease**（マイケル・ディーズ）演奏

JN122202

SNIDERO
# The Essence
# Of Bebop
## TROMBONE

## ATN, inc.

# 日本語版によせて　Japanese Edition Foreword

*With my long history connected to the Japanese jazz scene, it is such a pleasure to have The Essence of Bebop translated into Japanese. In many respects, bebop is the heart and soul of jazz, and is a style that is especially loved by Japanese fans and students. Bebop is a very sophisticated language, but it also has so much feeling and soul. In a way, it's the ultimate musical expression, exquisitely balanced between the mind and heart.*

*Many Japanese students have extensive record collections. My hope is to give them some guidance when listening to the great, classic recordings, helping them to understand concepts of Charlie Parker, Miles Davis, Sonny Rollins, Freddie Hubbard and many others, hopefully allowing them to incorporate those concepts into their own improvisations. The ultimate goal of a jazz improviser is to express themselves as individuals, and a deeper understanding of bebop can help produce deeper expression. Study and practice hard, but most importantly, have fun with this beautiful language.*

日本のジャズシーンに長く関わってきた私にとって、『The Essence of Bebop』が日本語に翻訳されることは大変喜ばしいことです。多くの点で、ビバップはジャズの心と魂であり、日本のファン／学生に特に愛されているスタイルです。ビバップは非常に洗練された言語ですが、同時に非常に豊かな感情表現と魂を含んでいます。ある意味では、心と頭のバランスが絶妙にとれた究極の音楽表現といえるでしょう。

日本のファン／学生の中には、膨大な数の音源に詳しい人も多くいます。*Charlie Parker, Miles Davis, Sonny Rollins, Freddie Hubbard* などの音源を聴き、彼らの音楽的なコンセプトを理解し、それを自分のインプロヴィゼイションに取り入れるためのガイダンスになればと思っています。ジャズ・インプロヴァイザーの最終的な目標は自分自身を表現することですが、ビバップをより深く理解することでより深い表現ができるようになります。学習と練習はもちろんですが、何よりもこの美しい言語を楽しんでください。

ジム・スナイデロ

## 演奏メンバー　The Band

トロンボーン：*Michael Dease*

ピアノ：*Mike LeDonne*

ベース：*Peter Washington*

ドラムス：*Joe Farnsworth*

Recording Engineer – *Michael Brorby*

Recorded Dec 9 – 20, 2019, at Acoustic Recording, Brooklyn, New York

Mastering Engineer – *Peter Karl*

Produced by *Jim Snidero*


Translation: *Lindsay Chalmers - Gerbracht*

Editing (German): *Julia Baldauf*

Cover design: *Elke Dörr*

Music engraving: *Annette Vosteen*

Layout and typesetting: *Waldemar Klein* (Werbestudio Klein, Mainz)

All historic photographs by *William P. Gottlieb*

Source/Credit Line: William P. Gottlieb/Ira and Leonore S. Gershwin

Fund Collection, Music Division, Library of Congress.

## もくじ　Table of Contents

## 巻末付録　Appendix

# はじめに ／ 謝辞　Foreword & Acknowledgements

今日のさまざまな音楽を聴いて、そこにビバップの明らかな影響を即座に見出すのは難しいかもしれません。しかし、1940年代のニューヨークで多くの素晴らしいジャズ・ミュージシャンたちが発展させたビバップは、それまでダンスのBGMのように扱われてきたジャズに速いテンポや洗練されたハーモニー／リズム／メロディなどをもたらし、現在の音楽の基礎となっています。ビバップ期のミュージシャンたちによる芸術性の高さや技巧のハイレベルさは、世界中のインプロヴァイザーのレベルアップに重要な役割を果たし、それが本書を制作するきっかけにもなっています。

私はこれまでの人生の大半をビバップおよびハード・バップを演奏／学習するために費やしてきたので、それが簡単にマスターできるものでないことはよく理解しています。しかし、ジャズ・ミュージシャンを目指すのであればビバップという土台を欠かすことはできません。本書ではビバップ期〜ハード・バップ期に開発された特徴的なテクニックや大きく発展した要素、そしてそれらが後の音楽にもたらした影響などをエチュードおよび解説という形で提示していきます。もちろん、非常に多くの優れたミュージシャンによる残されたレコーディングも膨大なため、それらすべての要素をたった10曲のエチュードで完璧に網羅することはできないので、本書ではタイトルの通りビバップのエッセンスを抽出しようとしています。ビバップ／ハード・バップを理解してしっかりした土台を築くためにきっと役立つでしょう。

ビバップ期における最も影響力のあるミュージシャンが *Charlie Parker*（*"Bird"*）であることは疑う余地がありません。彼のコンセプトはほぼすべてのビバップ／ハード・バップ・ミュージシャンに使われており、本書でも全体を通して頻繁に用いられます。また *Bud Powell, Dizzy Gillespie, Thelonious Monk* も純粋なビバップ・アーティストであり、*Miles Davis, Sonny Rollins, Art Blakey, Horace Silver* らは、ビバップ・アーティストとしてキャリアをスタートさせた後にハード・バップを牽引したり、さらに新しいスタイルを創り上げていきました。

**The Messengers** と **Pure Silver** の2曲のエチュードでは、実際に *Blakey* や *Silver* のバンド・メンバーとして活躍した *Hank Mobley, Lee Morgan, Blue Mitchell* などのスタイルも考慮しています。*John Coltrane* と *Freddie Hubbard* はハード・バップ期のジャズに欠かせない重要な存在ですが、特に *Coltrane* は最も重要な変革者でしょう。**Miles '63** はハード・バップ期としては最後期に当たるスタイルで、ハード・バップと現代音楽（20世紀のクラシック音楽）の関連を示しています。

これら10曲のエチュードは緩やかに難易度が上がっていき、最後は最もテンポが速い2曲（**Freddie** と **Bird**）となります。また、本シリーズには各楽器ごとのバージョンがありますが、各楽器の特性によっても難易度が変わります。一般的には、同じエチュードならば木管よりも金管で演奏する方がより難しく感じるでしょう。しかし、各バージョンの模範演奏／プレイアロング・トラックを聴いてもわかる通り、どの楽器でも良い音で良い演奏をすることは可能です。

巻末付録には、エチュードの原型となっているようなオリジナル曲や、演奏に関するレコーディングおよび動画リストを掲載してあります。ビバップをマスターするためには、多くの優れた音源を生活の一部とするくらい毎日たくさん聴くことが欠かせません。本書のエチュードももちろん役に立ちますが、それはビバップへの入り口にすぎないのです。

知識を増やし楽器での演奏能力を上げるために、曲のテーマ・メロディ／アレンジ／ソロをトランスクライブすること、レコーディングと一緒に演奏してみること、他のミュージシャンと一緒に実際に演奏することをすすめます。

最後に、本シリーズのレコーディングに参加してくれたすべてのミュージシャンたちに感謝します。彼らは現代ジャズ・シーンの最高峰に位置する達人たちであり、ジャズ・ヒストリーの一部分となる重要な存在です。私が思うに、本書の模範演奏／プレイアロング・トラックにおける彼らの素晴らしい演奏は、各エチュードのインスピレーションとなった伝説的ミュージシャンたちをとてもよく表現しています。彼らを私の親しい友人であると同時に尊敬すべき仕事仲間として紹介できることは、非常に光栄です。

*Jim Snidero*（ジム・スナイデロ）

6

# スタディ・ガイド（解説）について　Study Guide Overview

すべてのエチュードには、歴史的背景／ジャズ理論／ソロのコンセプト／練習のアイディアなどに関するスタディ・ガイド（解説）があります。単にエチュードを練習するだけでも多くのことを学べますが、スタディ・ガイドを活用することでより深く理解し、ジャズ・インプロヴィゼイションの土台をより強固に築くことができるでしょう。

10曲のエチュードはビバップにおいて最もよく使われる4つの**フォーム**、AABA／AA'／ブルース／リズム・チェンジに基づいています。その他のフォームもありますが、これら4つのフォームだけでも相当の部分をカバーしています。

巻末の *Ken Peplowski* のインタビューでも述べていますが、ビバップ期のミュージシャンたちは **II-V-I コード・プログレッション**を多用するようになります。II-V-I とそのバリエーション、例えば、メジャー II-V-I,　マイナー II-V-I,　II7-V-I,　III-VI-II-V-I, トライトーン・サブスティテューション（ルートがトライトーン離れた代理コード），IVm-♭VII，クロマティック・サブスティテューション（ルートが半音離れた代理コード），オルタード，ディミニッシュなどは本書のエチュードにも多数含まれ、**スタディ・ガイド**でも取りあげています。

メジャー・スケール、メロディック・マイナー、ハーモニック・マイナー、ディミニッシュ、オルタード、ホールトーン、ビバップ・スケール、ドミナント・ビバップ、ルートと 2nd の間に半音を追加したスケール、5th と 6th の間に半音を追加したスケール、各種モードなど、**スケールの知識とコード／スケールの関係**についても解説します。

スケールのさらに先では、シンメトリカル・フレーズやアシンメトリカル・フレーズの拡大、エンクロージャー、スケール・アルペジオの組み合わせ、メロディック・シェイプとリンク、パッシング・トーン、ガイド・トーン、サイド・ステッピング、クォートなどの**メロディック・テクニック**についても分析します。

また、**ソロの内容**に関してしばしば見落とされがちな要素についても指摘していきます。タイミング、ペース配分、バランス、ソロにおけるアーチ曲線（シェイプ）などはすべて、メロディ／リズム／ハーモニーをあるコンテクストの範囲内に収めるために役立ち、ソロに流れ、理路整然さ、ドラマなどを与えます。

コードやスケールを理解するために役立つ**エクササイズ**、各要素をまとめる方法、ヴォキャブラリー・スタディなどもいくつか掲載しています。しかしこれらは他にも多くの可能性や方法があることを忘れないようにしましょう。例えば、コード・チェンジやヴォキャブラリー（*George Coleman* のようなジャズ・グレートのものを含む）をマスターするための最も一般的な方法は、それらを12キーすべてで練習することです。**Monktified** の Ex.1 と同じくらいシンプルなドミナント7thリフをサークル・オブ 4th に沿って、あるいは **Miles 63'** の Ex.13 のように II-V-I に沿って12キーで練習します。**Bird and Diz** の Ex.17（I-V-I エクササイズ）ではもう少し難易度が上がり、さらにはコーラス全体を通して12キーで練習したり、最もテンポが速い **Bird** を12キーで練習すればさらに難易度を上げた高度な練習ができます。練習方法は無限にあるのでいろいろと工夫してみましょう。

# トロンボーン・テクニックとスタイル

## アーティキュレーション

ビバップの難易度、シンコペーション、ハーモニーの複雑さなどは、ジャズ・トロンボニストにとって大きな課題です。このスタイルに精通しているように演奏する（聞かせる）ためには明瞭さが重要かつ不可欠になります。そこで音を出す際には二通りのタンギングをお勧めします。1つ目はクリアでパーカッシブな「TAH（ター）」、2つ目はよりレガートで温かみのある「DAH（ダー）」です。これらのアーティキュレーションは演奏する音域によって母音を調整します。クリアなタンギングの場合、高音域では「TEE（ティー）」、中音域では「TOO（トゥー）」、中低域では「TOH（トー）」、低音域では「TAH」というように。いずれのアーティキュレーションにおいても繊細さや個性などの表現は無限に可能であり、それによって、個々のミュージシャンならではの個性的なサウンドやアプローチが実現可能となります。

アーティキュレーションの練習は、まず目指しているタンギング・テクニックを正確に自己判断したり、実施したり、できるゆっくりなテンポから始めることが非常に重要です。

音の後半部分は前半部分（発音）と同様に重要な意味をもつので、後半が減衰する鐘の音（カーン）のような音形、スタッカート、音同士が完全に繋がったようなレガートの音形を順序立てて練習することをおすすめします。さらに、これらの音を含むショート〜ミディアム〜ロング・フレーズなどの練習をおすすめします。

マルチプル・タンギングはファスト・テンポやダブル・タイムなどの場合に有効ですが、具体的にはダブル・タンギングあるいはドゥードゥル・タンギングという形で演奏します。シングル・タンギングをさまざまな場面で使えるように、シングルのスピードを上げる練習も欠かさないようにしましょう。ビバップで使い物になるマルチプル・タンギングを目指すのであれば、通常のシングル・タンギングと極力同じサウンドとなるべきです。金管のマルチプル・タンギングに関する解説書（Arban、Stacy、Goldman など）もありますが、ジャズにおける適用例は *J. J. Johnson, Curtis Fuller, Bill Watrous* らが示す通り、明瞭でリラックスしていてきれいに繋がるサウンドです。

♩ = 60 でシングル・タンギング
♪ =ダブルまたはドゥードゥル・タンギング

**TOO（トゥー）または TAH（ター）**           **DOO（ドゥー）または DAH（ダー）**

## インターヴァリック・アーティキュレーション

**マルチプル・タンギングで練習する場合：**

• ダブル＝「too-koo」「tah-kah」または「doo-goo」「dah-gah」
• ドゥードゥル＝「doo-duhl（ドゥー-ドゥル）」

# オルタネイト・ポジション（替えポジション）

オルタネイト・ポジションを使うことで、難易度の高いポジションの移動をよりシンプルなスライドワークに変更できます。子どものゲームである「*Connect the Dots」のように、それぞれのフレーズやメロディには *ロードマップ（この場合はスライドマップ）があります。難しいコード進行／難しいコード・チェンジ／音の跳躍／キー・チェンジなどを名人芸的な速度で通常の手順通りに演奏しようとすると、スライドを動かす手はまるでノコギリを使っているかのように高速で押したり引いたりをくり返すことになります。そこで、いくつかのオルタネイト・ポジションを使うと、スライドの動きを減らすことができ、それまで難しく感じていたライン／メロディも演奏可能に（場合によっては簡単に）感じるでしょう。オルタネイト・ポジションには多くの選択肢がありますが、最もよく使うのは以下の7つです。

### 最も一般的なオルタネイト・ポジション

プライム・ポジション（基本のポジション）とオルタネイト・ポジション（替えポジション）の比較

タンギングとスラー

マイナー・ペンタトニック　　　　F7 ビバップ・エンクロージャー　　　　アッパー・レジスター：　F7 ブルース

ミドル・レジスター：　A♭7(♭5) ビバップ・シェイプ

基本のポジションで普通に演奏できる場合は、それよりもさらに自然に演奏できる場合を除いてオルタネイト・ポジションを使うべきではありません。ポジション1〜4は使用頻度が高く、ポジション5〜7に比較してポジション間の幅も小さくなります。トロンボーンは近いポジションほど管体を短く使うことになり、十分な音の響きや反応を創り出すのに必要なエアの量も少なくてすむということです。

* Connect the Dots：順番通りに点と点を線でつないでいくと、最終的に絵や文字ができ上がるペンシル・パズル
* road map：手順表。または行程表。

## スライド・テクニック

優雅さ／スピード／正確さなどは、リラックスして演奏することと、スライド・テクニックをていねいに学習しておくことによって実現できます。

スライド・テクニックにはいくつかの方法がありますが、私の場合はスライドの重さを利用して伸ばします。そのときに人差し指と中指の腹はスライドの支柱から決して離さず、必要に応じて親指を使ってスライドを押し出し（伸ばし）たり、縮めたスライドを止めたりします。

重要なことは、各音ごとに正確なポジションをピンポイントで捉えようとしたりスライドを方向転換させることよりも、一連の流れとして腕を動かすことです。それによってスムーズに感じられるテクニックと芸術的な美的センスが生み出されます。


## スタイル

どの時代のジャズにも独自の型やスタイルを表現するためのアプローチがあります。それはミュージシャンたちによって伝達され、各楽器ごとに固有の要素もありました。ジャズには 100 年以上前に書かれた曲もありますが、どの時代の曲でも現代のトレンドに則して演奏することが多いため、経験の浅いミュージシャンには、各時代のスタイルを特徴づけている繊細な要素が見えにくくなっているかもしれません。ビバップにおいては、グリッサンド、リップシェイキングやトリル、極端なスクープ、幅の広いヴィブラート、グロウルやフラッター・タンギング、グレース・ノートなどはいずれも多用しません。シンコペートしたラインにおけるアクセントのつけ方が、ビバップの大きな見せ場であり、ストレートな音、音の最後にかけるヴィブラート、8 分音符のスウィング・フィールなどの関係も同様です。多くの優れたレコーディングがそれを教えてくれるので、それらをよく聴いて深く掘り下げ、愛し、大いに楽しんでください！

52nd Street, New York, N.Y., ca. July. 1948

# 1. Monktified 解説

1940年代初頭から中期にかけて Minton's Playhouse のハウス・ピアニストだった *Theronious Monk* は、ビバップ・ムーヴメントの最前線にいる存在でした。ビバップ期に生まれた最も特徴的なスタイルは、*Monk* も好んだ跳躍の多いメロディ、少ないスペース、パーカッシヴなアタックなどです。彼は「**Blue Monk**」という曲を最も多い回数レコーディングしましたが、この曲は彼の好むコンサートB♭キーのブルースで、**Monktified** もこの曲をベースにしています。

ブルース・フォームは、4/4拍子の場合は基本的に12小節1コーラスで、ビギニング／ミドル／エンドという3つの4小節セクションを含んでいます。このエチュードでは最後の4小節セクションで、ビバップにおいて最も重要な II-V-I コード・プログレッションが出てきます。

## ❏ 学習のポイント

- ブルース・フォーム
- ドミナント 7th リフ
- サークル・オブ 4th
- メジャー II-V-I
- V7における ♭5th
- 2小節フレーズ
- ホールトーン・スケール
- 1拍目を意識する

**1** ヘッド／コーラス4／コーラス5ではリフが出てきます。リフはくり返すことで盛り上げたりラインにコントラストをもたらしたりするメロディック・フレーズです。短くシンプルなものが多いので、他のキーに移調して練習するのもよいでしょう。コーラス4のリフではリピート・ノートをショートカット気味に演奏していますが、これは *Monk* がしばしば使ったアーティキュレーションです。コーラス5のリフではドミナント7th コードのコード・トーン（1，3，5，♭7）が強調され、ソリッドかつアーシー（earthy）なフィーリングを醸し出します。すべてのキーのドミナント7th コード・プログレッション上で同様のリフを練習できますが、よくあるのは半音上行とサークル・オブ4th に沿ったプログレッションです。

Ex. 1

重要なことは、このリフをフレーズのピック・アップとして、あるいはコードに沿ったいくつかのアイディアをまとめる自然な方法として聴くことです（シンメトリカル・フレージング）。

**2** ヘッドの 1 〜 8 小節およびコーラス 4 のリフはドミナント 7th コードのエクステンションを強調しています。安定感のあるコード・トーンに比較して、エクステンションはふわふわと漂うような浮遊感のあるフィーリングをもたらします。これらのリフを異なるキーで練習することにより、さらにエクステンションに慣れることができるでしょう。

**3** ビバップ・ミュージシャンはドミナント 7th コード上で♭5th を好んで使います。それによりややミステリアスまたは意表を突くサウンドとなります。ヘッドの 9 〜 10 小節のフレーズでは最終音の♭5th を 3 拍延ばし、次のフレーズ冒頭へと解決します。17 小節の最後の音では E♭7 コードの♭5th を強調しています。

**4** 33 〜 35 小節のラインはほとんどダイアトニックですが、メジャー II-V-I における**各コードのサウンド**（あるいはコード・プログレッションのサウンド）を表すためにガイド・トーンを使っています。

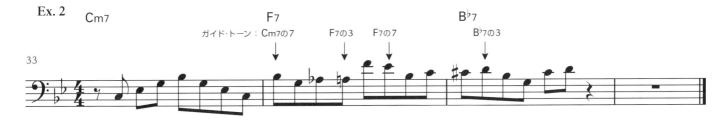

**5** *Monk* は、他のビバップ・ミュージシャンよりもホールトーン・スケールを多用しました（22 〜 23 小節）。それによって浮遊間のある独特なサウンドとなります。

**6** 46 〜 48 小節では、まず 46 小節 1 拍目からフレーズが始まり、次に同じフレーズが 47 小節 2 拍目から（1 拍ずれて）始まります。これによって変拍子のような錯覚をもたらします。*Monk* も同じテクニックを実際に「Blue Monk」で使っています。この部分を練習するときは頭の中で 1-2-3-4 とカウントし続けましょう。常に小節の 1 拍目を明確に意識して、4/4 拍子上で始点のずれたフレーズを聴くようにします。この練習はタイム感を向上させるのに役立つでしょう。

Thelonious Monk,
Minton's Playhouse, New York, N.Y., ca. Sept. 1947

# 1. Monktified

Jim Snidero

* PT (passing tone)：パッシング・トーン　　LT (leading tone)：リーディング・トーン

# 2. The Messengers 解説

Track 2 模範演奏
Track 14 プレイアロング

最初に *Horace Silver* と組んで以来、*Art Blakey* は 35 年（1955 ～ 1990）にわたり The Jazz Messengers というグループを率いてきました。*Blakey* はハード・バップの父と言われ、The Jazz Messengers は最初のハード・バップ・グループであり、在籍した *Hank Mobley*, *Lee Morgan*, *Wayne Shorter*, *Cedar Walton*, *Freddie Hubbard* やその他、多くの偉大なミュージシャンたちがこのグループから巣立って行きました。

ハード・バップのミュージシャンたちは、ビバップのジャム・セッション的な状態よりも構成のある音楽スタイルを打ち出すためにアレンジを決め、ゴスペル/ R&B /ブルースなどの要素も取り入れました。The Messengers は、Jazz Messengers のピアニストだった *Bobby Timmons* による典型的なハード・バップ期の作品「Mornin'」をベースにしています。

## ❏ 学習のポイント

- ■ AABA フォーム
- ■ ブルース・アイディアの発展
- ■ マイナー II - V - I
- ■ ソロにおけるブルースとコード・チェンジのバランス
- ■ ハーモニック・マイナーおよびメロディック・マイナー・スケール
- ■ ダブル・タイム

**1** The Messengers は 32 小節 1 コーラスの AABA フォームで、ジャズでは最もよく目にするものです。ヘッドの A セクションでは、リズム・セクションが（"amen" に聴こえる）IV - I コード・プログレッションをくり返しますが、これはゴスペルの要素を取り入れたアレンジです。ソロ・セクションでは A セクションで 4 つのコード、Fm - A♭7 - G7(♭9) - C7alt. (Im -♭III7 - II7 - V7) をくり返します。ダブル・タイム・パッセージ（16 分音符）の部分ではオルタネイト・リフが提示されています。

**2** ブリッジは一時的に A セクションから変化し、B♭m (IVm) を 2 回経てから Fm (Im) へと戻ります。しかしメロディは F マイナー・ブルース・スケールに基づいているので、ブリッジと A セクションの繋がりが感じられます。

**3** 驚くべきことに、F ブルースのアイディアは A セクションでくり返す 4 つのコード上で機能します。ハード・バップ・ミュージシャンはブルース・アイディアを多用し、それらを 12 キーすべてで演奏できました。エチュードの中にもブルース・タイプのアイディアはたくさんあり、ヴォキャブラリーを増やすのに役立つでしょう。その中のどれかを 12 キーで演奏してみることはとてもよい練習になります。

**4** 1 コーラス目では、ブルース/ゴスペル・タイプの曲を演奏させたら右に出る者はいない偉大なトランペット・プレイヤー *Lee Morgan* をイメージしています。彼が使ったテクニックの 1 つは、あるアイディアを提示し、それからそのアイディアを 4 小節フレーズへ発展させるというものです。1 コーラス目では各 A セクションの冒頭 4 小節にこのテクニックを使っています。

**5** ハード・バップのミュージシャンたちも洗練されたビバップの語法を使っており、ブルースのアーシーなサウンドとコントラストが生じます。これら 2 つの語法をバランスよく使うことがポイントです。一般的なテクニックとしては、テンション＆リリースを創り出すために II‑V‑I のアイディアをいたるところで使います（このエチュードでは主にマイナー II‑V‑I、IIm コードは♭5th が入る）。40 ～ 42, 45 ～ 46, 50 ～ 52, 65 ～ 66 小節を参照。

**Ex. 3**

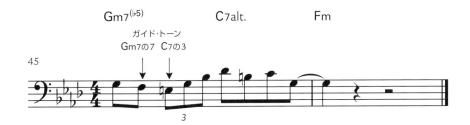

**6** ブルースに対してコントラストをつけるもう 1 つの方法は、他のスケールに基づくアイディアを使うことです。60 ～ 63 小節のアイディアは F メロディック・マイナー・スケール、71 小節のダブル・タイム・アイディアは F ハーモニック・マイナー・スケールにそれぞれ基づいています。

**7** ダブル・タイムは音楽的な盛り上がりを創り出し、演奏技術の確かさも示します。67 ～ 71 小節では 4 つの短いダブル・タイム・フレーズがあります。67 ～ 68, 71 小節ではステップで上／下行するメロディック・シェイプから素早く上行するシェイプへと切り替わります。ダブル・タイムはソロのどの部分でも使うことができますが、使うタイミングは重要です。このソロでは盛り上げるためにソロの最後までダブル・タイムを温存し、ダブル・タイム・パッセージの前後には長めの休符を配置しています。

**Ex. 4**

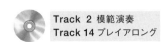

# 2. The Messengers

Jim Snidero

# 3. Amazing Bud 解説

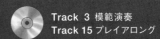

Track 3 模範演奏
Track 15 プレイアロング

*Bud Powell* は *Charlie Parker* のコンセプトを応用した最初のピアニストで、テクニック的にも *Bird* と肩を並べる数少ないビバップ・ミュージシャンです。*Bud* はモダン・ジャズ・ピアノの始祖と言われ、*Horace Silver*, *Wynton Kelly*, *Herbie Hancock*, *Chick Corea* など多くの有名なピアニストたちにも影響を与えています。

## ❏ 学習のポイント

- ■ エンクロージャー
- ■ シンコペーション
- ■ メジャー・ビバップ・スケール
- ■ ソロにおけるダイアトニック・メロディとコード・チェンジのバランス
- ■ トライトーン・サブスティテューション

**1** 前の 2 曲のエチュードはブルース／リズム・チェンジでしたが、**Amazing Bud** はビバップの古典ともいえる *Bud* のオリジナル曲「Bouncing With Bud」をベースにしています。最初のレコーディングは 1949 年で、*Sonny Rollins* と *Fats Navarro* も参加していました。コンサート B♭ キー、AABA フォームの 32 小節、ブリッジではリレイティヴ・マイナー（VI マイナー、ここではコンサート G マイナー）キーに進行します。

**2** ジャズにおいて一般的な特徴の 1 つ（ビバップでは特に顕著）とされる要素にシンコペーションの使い方があります。シンコペーションは音楽に力強さを与え、さらに重要なスウィング・フィールを創り出します。アップ・ビート（またはウィーク・ビート）のリズムによって創られますが、8th ノート・ラインのアップ・ビート上でフレーズの方向が変わったり終了したりすることでもアップ・ビートが強調されて創り出されます。

最初の 4 小節は、シンコペートしたリズムやラインをどのように組み合わせるとフレーズをスウィングさせることができるのかを示す好例です。

**3** *Bud* はエンクロージャーを多用しました。これはターゲット・ノートに対してその上下（半音または全音）の 2 音で囲い込んでアプローチするテクニックです。囲い込まれた先のターゲット・ノートは *EN（エンクローズド・ノート）と表記されます。以下はメジャー・トライアドに基づくエンクロージャーの好例です。

Ex. 5

* enclosed note：半音または全音上と下の 2 音のアプローチ・ノートに囲い込まれたターゲット・ノートのこと

**4** 27 小節のアイディアは C メジャー・ビバップ・スケールに基づいており、5th と 6th の間に半音を追加しています。この半音を追加することで、半音下行のダウンビートの位置はすべて B♭メジャー・トライアドの音となり、このラインがコードに沿ったものであることが強調されます。ビバップ・スケールは通常下行形で演奏されますが、その後に上行形のアルペジオが続くこともよくあります。

Ex. 6

**5** このエチュードには多くのコードが使われていますが、それらのほとんどは B♭メジャー・キーに基づいています。ハード・バップ・ミュージシャンがブルースとビバップ的語法のバランスをうまくとる（**The Messengers** 参照）のと同様に、ビバップ・ミュージシャンはダイアトニック・メロディとコード・チェンジに基づくサウンドのバランスをとるスキルに長けています。ダイアトニック・メロディが多すぎれば退屈、あるいは古風なサウンドになり、コード・チェンジに基づくサウンドが多すぎれば機械的、あるいは難解な印象のサウンドになるでしょう。

ダイアトニック・メロディとコード・チェンジに基づくメロディのバランスをとるための定番的な方法は、例えばリズム・チェンジに含まれる I（または III）- VI - II - V プログレッションなどの場合、最初の 1 ～ 2 小節をダイアトニック・メロディ、次の 3 ～ 4 小節をコード・チェンジに基づくメロディとします。それによってハーモニーの安定した状況からテンション＆リリースへとバランスよく演奏することができるでしょう。**Amazing Bud** ではすべての A セクションで最初の 4 小節がこのようになっています。

**6** ビバップ・ミュージシャンは、V7コードに対してトライトーン離れたドミナント 7th を使うことでテンションを創り出します。これをトライトーン・サブスティテューションと呼びます。28 小節では G7 コードに対して D♭7 コードに基づくラインを演奏しています。以下は 6 つの II - V が全音下行するプログレッション上でのラインを見やすくしたものです。

Ex. 7

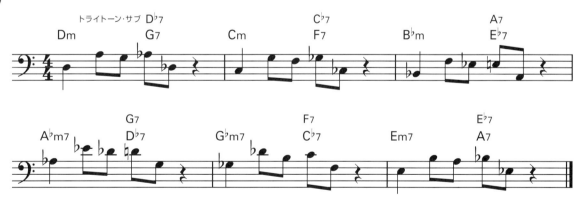

Track 3 模範演奏
Track 15 プレイアロング

# 3. Amazing Bud

*Jim Snidero*

# 4. Pure Silver 解説

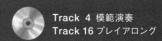

Track 4 模範演奏
Track 16 プレイアロング

*Horace Silver* はピアニストとしても大きな影響を与えていますが（*McCoy Tyner* や *Herbie Hancock* などと同様に）、彼の最も大きな功績はハード・バップを牽引したことと多くの名曲を残したことです。彼の率いたクインテットには、*Hank Mobley, Blue Mitchell, Louis Hayes, Joe Henderson, Woody Shaw, Randy Brecker, Michael Becker, Tom Harrell* などそうそうたるメンバーが在籍しました。

*Horace* は非常に多くの曲やアレンジを残しましたが、その中には「**Song For My Farther**」や「**Nica's Dream**」「**Peace**」のようにジャズ・スタンダードとなっている曲もあります。その作曲スタイルはリリカルなメロディが特徴的ですが、そこにしばしば意表を突くハーモニーやコード・チェンジを組み合わせます。

## ❑ 学習のポイント

- AA' フォーム
- スウィング 8th ノート
- ドミナント 7th コード上での
  メジャー 7th
- オルタード $V_7$ コード

- ドミナント・ビバップ・スケール
- ドリアン・モードとミクソリディアン・
  モードの関係（$IIm_7 - V_7$）
- メロディック・リンク

**1** **Pure Silver** は *Horace* の「**Strollin'**」という曲をベースにしており、AA' フォームです。コンサート D♭ キーは暖かなサウンドですが、演奏するにはやや難しく、テンポもリラックスしたスウィング・フィールで演奏するには難しいかもしれません。リラックスすることとダラダラ演奏することは別物です。ダラダラした演奏とは、いいかげんさが目立ったりエネルギーを感じない演奏のことです。アルバム『**Horace-Scope**』における *Blue Mitchell* の演奏が良いお手本で、リラックスしつつも正確でエネルギッシュです。

ダブル・タイム・パッセージの部分ではオルタネイト・ノートも提示しています。

**2** 53 〜 55 小節のフレーズは、そんなに多くのディレクション・チェンジ（方向転換）を含まないので、スウィング 8th の練習に最適です。ソロイストの 8th ノート・フィールとアーティキュレーションをよく聴き、メトロノームを鳴らしながらそれを再現します。特にアーティキュレーションには最新の注意を払いましょう。

**3** いくつかのライン（39 〜 40, 46 〜 48, 53 〜 55 など）は *Hank Mobley* の特徴を踏まえたもので、非常に美しくメロディックなスタイルに気の利いたアイディアが散りばめられています。43 〜 44 小節では、ミクソリディアン ♯11 の代わりに通常のミクソリディアンを使ったトライトーン・サブスティテューションが出てきます。

**4** 47 〜 48 小節では短いフレーズを半音下げてくり返していますが、この部分のコード・プログレッションは E♭7$^{(♯11)}$ から E♭m7 - A♭7 です。考え方としては、E♭m（IIm）を無視してこの小節全体を A♭7alt. と捉え、E♭7$^{(♯11)}$ コード上では B♭ メロディック・マイナー・スケール、A♭7alt. コード上では A メロディック・マイナー・スケールを使います。2 つのメロディック・マイナー・スケールは半音違いなので、それに基づくフレーズも半音違いというわけです。

Ex. 8

⑤ 52 小節のラインは A♭ ドミナント・ビバップ・スケールに基づくもので、♭7th と 1st の間に半音が追加されています。**Amazing Bud** に出てきたメジャー・ビバップ・スケールの場合と同様に、この半音によってコード・トーン（ここでは 1, 3, 5, ♭7）がダウン・ビートに配置される形となり、コードに沿ったサウンドとなります。

Ex. 9

A♭ ドミナント・ビバップ・スケールは A♭7 コード上で機能しますが、52 小節では E♭m7 コード上でも機能していることに注目しましょう。どちらのコードも D♭ メジャー・スケールに基づき、コードに対応するスケール（E♭ドリアン／A♭ミクソリディアン）を構成する音も共通なため、どちらのコード上でも同じアイディアが機能するのです。

⑥ あるコードから次のコードへとスムーズにフレーズを繋げるためには、2 つのコードをリンクさせるコモン・トーン（相互共通音）を見つけましょう。51 小節の Em7 - A7 および 52 小節の E♭m7 - A♭7 におけるコモン・トーンは F♯（G♭）音です。51 小節から始まるラインは 52 小節 1 拍目でひとまず Em7 コードの 9th の F♯（G♭）音に解決しています。この音は E♭m7 コードのマイナー 3rd であると同時に、後に続くフレーズの始点ともなっています。

Charlie Parker, Tommy Potter, Miles Davis, Duke Jordan, and Max Roach,
Three Deuces, New York, N.Y., ca. Aug. 1947

# 4. Pure Silver

*Jim Snidero*

# 5. Miles '63　解説

Track 5 模範演奏
Track 17 プレイアロング

*Miles Davis* は、ジャズに限らず 20 世紀を代表する最も重要なミュージシャンの 1 人です。1940 年代半ばには *Charlie Parker* のクインテットに在籍してビバップの最前線でプレイし、その後はバンドリーダーとして数多くの才能を発掘するとともに、常に新しいスタイルへとジャズを進化させた真のイノベーターでした。*Miles* はキャリアの大部分を通じて、ビバップ、クール・ジャズ、モーダル・ジャズ、フリー・ジャズなど自身のスタイルを発展させ続けましたが、常に誰よりもリラックスしてヒップで味わい深い演奏をしました。

**Miles '63** は、1963 年にフランスのアンティーブでレコーディングされた『Live in Europe』に収録されているスタンダード「All Of You」をベースにしています。*Miles / George Coleman / Herbie Hancock / Ron Carter / Tony Williams* という 5 人のメンバーは私のフェイバリットであり、非常に解放的かつ印象的なハードバップは後のクロマティシズムや *Wayne Shorter* の台頭を予感させます。

## ❑ 学習のポイント

- 休符とフレージング
- ディミニッシュ・コード、全音 - 半音 ディミニッシュ・スケール
- 3 連符
- コード・エクステンションと バイトーナリティ
- V7コード、半音 - 全音 ディミニッシュ・スケール
- 4 小節のターンアラウンド
- ペース配分とソロ・アーチ
- ドミナント・ビバップ・スケールの ルート〜 2nd 間に半音を加える

**1**「All Of You」および **Miles '63** のテーマ部分は AA' フォームですが、このエチュードでは 1 コーラスのみとなっており、AA' の後にターンアラウンド・ヴァンプ（III-VI-II-V）をくり返しています。これは上記のレコーディングに基づくアイディアで、各ソロイストはヴァンプでソロを演奏し、85〜86 小節のメロディをソロのエンドサインとして演奏します。その後 2 小節のブレイクとなり、次のソロイストにまわるか曲のエンディングに向かいます。ダブル・タイム・パッセージの部分ではオルタネイト・ノートが提示されています。

**2** AA' を通して、多くのスペース長くカラフルな音、さりげないオリジナル・メロディの借用（8〜16, 27〜28 小節）、メロディとは対照的なターンの使用など、この時期の *Miles* 特有のアプローチが多数登場します。

17〜18 小節では、G♭dim コード上でメジャー 7th の音を延ばしています。これはディミニッシュ・コード上で響く最も美しい音の 1 つで、全音 - 半音ディミニッシュ・スケールに基づいています。

Ex. 10

Miles はミディアム・テンポの時に 3 連符を多用し（25 〜 26 小節）、それによってラインに軽やかな動きが出ます。以下は 3 連符のエクササイズですが、簡単に移調できるので他のキーでも練習してみましょう。この例では A♭ドリアンを想定しています。A♭ドリアンは G♭ メジャー・スケールの第 2 モードですが、このラインはダイアトニックな音だけなので他の（G♭ メジャー・スケールから派生する）モード上でも使うことができます。

**Ex. 11**

**❸** Miles のクインテットではコード・エクステンションが非常に効果的に使われます。特に 11th と ♯11th（31 〜 32，41，46，48，59 小節）および 13th（15 〜 16，34，39 小節）の強調、ラインに含まれる *バイトーナリティ（57 〜 59 小節）などの使い方に注目しましょう。これらのテクニックはいずれもカラフルでジャズらしいサウンドをもたらし、メロディ／ラインはハーモニー的に拡張されます。

**❹** ビバップ・ミュージシャンはパターン（主にダイアトニックなもの）を使いましたが、ハード・バップ・ミュージシャンはそれをさらに拡張し、Thesaurus Of Scales And Melodic Patterns ： Nicolas Slonimsky（1947）などを出典とするものも使うようになりました。特によく使われたのは、V7 コード上におけるディミニッシュ・スケールに基づくパターンです。35 〜 36 小節では、3 連符のパターンによって C 半音 - 全音ディミニッシュ・スケールの効果的な音が強調されています。

ピアニストはソロイストがこのパターンを演奏するのを聴いて、V7 コード上でディミニッシュ・サウンドが効果的に聴こえるよう即座にヴォイシングを調整しています（♭9th，♯9th，♯11th，13th の使用）。

**Ex. 12**

**❺** 41 小節から始まるヴァンプは、4 小節のターンアラウンド（III - VI - II - V）に基づいています。これは曲を延長させるのによく使う手法で、特に後テーマの後ろで使います。前でも述べましたが Miles はソロの受け渡し間にもこのようなヴァンプを使いました。このエチュードでは George と Herbie の間で演奏されたヴァンプをベースとしています。

このセクションはソロがどのような**アーチ**（シェイプ）を描くのか、その全体像を見るための好例です。ソロは多くのスペース／カラフルな断片（エクステンションなど）を伴って始まり、8 小節の間メロディアスに発展していきます。それから V7 コード上でさらに多くのテンション（50，52，54 小節）およびコード・サブスティテューション（57，60，64 小節）が使われます。そこから 8 小節のダブル・タイムへ進みますが、ここが聴かせどころであり盛り上がりの頂点となります。最後はブルース・アイディアで終わりますが、洗練されたジャズらしさを出しつつ最後のメロディック・キューまで高揚感を維持します。

* bi-tonality：本来のトーナリティとは異なるもう 1 つのトーナリティを同時に含む状態を指す

## ソロ・アーチ（シェイプ）

| メロディック<br>フラグメント<br>（多くのスペース／<br>リリカル） | コード・テンション／<br>サブスティテューション<br>（音数が増える／<br>定型からの解放） | ダブル・タイム<br>（最も音数が増える／<br>高揚のピーク） | ブルース<br>（音数が減る／<br>ジャズらしさ） | エンド |

この例は、ソロにおけるペース配分と発展のさせ方に関して、また 1 つひとつのアイディアがどのように繋がっていくのかに関してのお手本です。例えば F♯m7 - B7 というコード・サブスティテューションの配置や、Fm7 から F7$^{(♯11)}$ というコードの変更（57 小節）など、ソロイストのアイディアがもたらすサウンドの変化に注目しましょう。

**6** 次に、このセクションで使われているアイディアをより細かく見ていきましょう。コードに沿ったもの、エクステンションを延ばしたもの、ターンアラウンド全体にわたるブルース・アイディアなどがあります。これらのアイディアがもたらす効果は、以下の通りです。

　**a.** 幅広いカラーをもたらす

　**b.** 個々のアイディア自体が非常に有用なヴォキャブラリーであり、またヴォキャブラリーの構成要素となることがあげられる

**7** 69 小節のラインは、ドミナント・ビバップスケールにもう 1 つの半音を加える方法を示しており、それによって重要なコード・トーンがダウンビート上に配置されます。ダウン・ビートの位置でドミナント・コードの 9th（ここでは B♭7 コード上の C 音）から下行し始める場合、9th の下に半音を加えてからドミナント・ビバップ・スケールを下行します。

以下は、同じアイディアを使った 8th ノート・フレーズの例です。1 拍アタマからスタートして、4 小節の II - V - I に沿ったフレージングとなっています。

### Ex. 13

**Pure Silver** でも述べましたが、V7 コード上で機能するアイディアはリレーテッド IIm7 コード上でも機能します（B♭7 と Fm7 はどちらも E♭ メジャー・スケールから派生するコード／モードであるため）。したがって、このアイディアは、F マイナー・ヴァンプにも適用できます。実際に **The Messengers** の 68 小節はそのようになっています。以下は 4 小節の II - V - I に沿った 8th ノート・フレーズの例です。

### Ex. 14

コードとスケールがどのように関連しているのかを理解すれば、ヴォキャブラリーの自由度は増し、複数のコード上にまたがるアイディアも使えるようになるでしょう。

# 5. Miles '63

*Jim Snidero*

# 6. Bird and Diz

*Jim Snidero*

\* DB：ダウン・ビート・リーディング・トーン

# 6. Bird and Diz 解説

Track 6 模範演奏
Track 18 プレイアロング

1945 〜 1955 年に渡る *Charlie "Bird" Parker* と *Dizzy Gillespie* のコラボレーションは、ビバップ期における最も重要な出来事です。*Bird* のインプロヴィゼイションは世界中に影響を与えましたが (より詳しくは最後のエチュード **Bird** で解説しますが)、*Dizzy* も *Bird* と同様に斬新で優れたミュージシャンです。*Dizzy* はハーモニーについてとても詳しく、多くのビバップ・ミュージシャンに影響を与えたビバップ期の中心人物でした。

**Bird And Diz** は、ビバップ・ムーヴメントを象徴するテーマソング的存在である *Tadd Dameron* の「Hot House」をベースにしています。*Bird* と *Dizzy* はこの曲を何度もレコーディングしていますが、唯一現存している 2 人の共演映像 (1952 年の TV 番組) でも演奏しています。「Hot House」のコード・プログレッションはスタンダードの「What Is This Thing Called Love」に基づいていますが、メロディには *Dizzy* のアイディアによる当時としては斬新なラインが含まれています。また、このエチュードでは 2 人のインプロヴィゼイションと共に *Dizzy* のハーモニー・アイディアも取り上げます。

## □ 学習のポイント

- ドリアン・モードとロクリアン・モードの関係 ($IIm_7$ か $IIm_7^{(\flat5)}$ か)
- シンコペーションのバランス
- ダウン・ビート上のリーディング・トーン
- $V_7$ コードのカラー・バリエーション
- ブルース・アイディア
- マイナー・キーにおけるメジャー II-V

**1** Bird And Diz のフォームは AA'BA ですが、Chorus 2 はショートカットされて Tag (最後のフレーズ) を $G_7$ ペダル上でくり返します。A セクションのコード・プログレッションはスムーズで、3 小節目の $Fm_6$ コードは $Dm_7^{(\flat5)}$ コードに基づくものです。

Ex. 15

マイナー II-V の $Dm_7^{(\flat5)}$ - $G_7$ は通常ならば Cm コードへ進行しますが、$C_{Maj}$ コードが A セクションの最後に来ることで意表を突くサウンドとなります。スタンダードの「Stella By Starlight」でも同じようなラスト 4 小節があります。

**2** **Amazing Bud** でも述べましたが、シンコペーションはビバップに欠かせない要素です。**Bird And Diz** では多くのシンコペートしたリズムやラインが使われていますが、肝心なことはシンコペートしたフレーズとしていないものの正しい組み合わせを見つけることで、それによってバランスや流れが変わってきます。

* 譜めくりを容易にするため楽譜は p.32~33 に掲載しています

このバランスを示すいくつかの好例が **Bird And Diz** には含まれています。例えば 1 ～ 4 小節のフレーズでは、比較的少なめのシンコペーションながらラインが表すハーモニーは興味深いものとなっています。5 ～ 8 小節では多くのシンコペーションが含まれ、ブルースの要素がもたらすアーシーさが強調されたラインとなっています。

**3** 「Hot House」と同様に、A' セクション（9 ～ 16 小節）では全く新しいテーマ・メロディが始まり、ラインはより自由度の高いものとなっています。しかし A セクションも A' セクションも基本的には 2 小節フレーズが使われています。セクション冒頭の 2 小節フレーズはその後のマイナー・コード上で同じフィギュアを全音下行して使いますが、これは *Dizzy* がマイナー・メジャー 7th コードのリーディング・トーンをダウン・ビート上で使うときと同じディソナンスを創り出します。

**4** 2，10，26 小節の C7 コードでは、2 種類のオルタレーションが使われています。1 つ目はトライトーン・サブスティテューションである G♭7 を暗示する C7(♭9)、2 つ目はメジャー 9th とメジャー 13th を含む C13(♯11) です。後者の意表を突くカラー変更は通常 Im コードへ進行するときには使いませんが、「Hot House」を連想させます。これらのオルタレーションをサークル・オブ 4th に沿って練習しましょう。

**5** 前でも述べましたが Fm6 コードは Dm7(♭5) コードに基づいており、F ブルースのアイディア（5，29，61 小節）も含めて、Fm6 上で機能するものは Dm7(♭5) コード上でも機能します。**Miles '63** と同様に、このようなブルース・アイディアはメカニカルなビバップにアーシーなジャズらしさをもたらします。

実際に、*Bird* も *Dizzy* もあらゆるコード上で使っていたくらい、ブルースは強力なサウンドです。ここでは C ブルースのアイディアを CMaj7 コード（7 ～ 8，31 ～ 32 小節）上、Dm7(♭5) コード（13 小節）上、G7（Tag）上で使っています。

**6** ブリッジの最後 4 小節（21 ～ 24，53 ～ 56 小節）は、通常ならば 2 小節の A♭7、1 小節の Dm7 と G7（または 2 小節の G7）コードです。しかし 21 ～ 24 小節では半音 - 全音ディミニッシュ・スケールに基づくラインが A♭7 と G7 コードの 13th、♯11th、♯9th を表しており、「Hot House」と同様のディソナンスを創り出しています。これをサークル・オブ 4th に沿って 12 キーで練習するのは難しいかもしれませんが、ぜひ挑戦してみましょう。

**Ex. 16**

**7** 35 小節は *Bird* がマイナー・コード上でよく使うテクニックです。ここでは 2 拍で Fm、もう 2 拍で C7(♭9) を演奏しています（I - V - I 進行をマイナー・コード上で使う）。これらはすべて F ハーモニック・マイナー・スケールの音です。ぜひ 12 キーで練習してみましょう。

**Ex. 17**

F ハーモニック・マイナー・スケールに基づくライン

**8** マイナー II - V 上で、まずはメジャー II - V のフレーズを使ってから本来のマイナー II - V フレーズに行くというのも、*Bird* がよく使うテクニックです。一瞬明るくなるような効果があります（34，37 〜 38，41 小節）。

**9** *Bird* も *Dizzy* も、コードに沿ったダイアトニック・ラインまたは曲のメロディからの借用フレーズ（詳しくは **Bird** の解説を参照）を使ってバランスよく演奏します。特に「Hot House」のブリッジ（49 〜 52 小節）を聴いてみましょう。

Dizzy Gillespie, New York, N.Y., ca. May. 1947

Fats Navarro, Charlie Rouse, Ernie Henry, and Tadd Dameron,
Three Deuces, New York, N.Y., between 1946 and 1948

# 7. Straight Trane 解説

Track 7 模範演奏
Track 19 プレイアロング

*Miles Davis* と同様に、*John Coltrane* もジャズに莫大なインパクトを与えたアーティストです。*Trane* は Giant Steps などのアルバムでハード・バップにおける究極の超絶技巧を追求したのち、コード・サブスティテューション、ペンタトニック、フリー・アプローチなどを追求してインプロヴィゼイションに革命を起こし、最高傑作である「A Love Supreme」を生み出しました。また、インスピレーションに満ちた人物でもありました。並外れた努力家でもあり、最初は平均よりやや上手なハード・バップ・ミュージシャンでしたが、そこから孤高のサクソフォン・マスター／アーティストへと進化しました。

Miles '63 におけるソロ・アーチとは対照的に、*Trane* は力強く音数の多いアプローチからソロを始め、ソロ全体を通して同じコンセプトのまま演奏し続けることがありました。それが Straight Trane というタイトルの由来です。全体を通して高揚感はありますが基本的にそれは一定であり、曲全体のペース配分を見ても特にピークや谷間はありません。

Straight Trane は、*Trane* がリーダーとして 1957 年にレコーディングしたソロ・デビュー・アルバム *Coltrane* に収録されている「Straight Street」というスタンダード曲をベースとしています。AABAフォームですが、珍しいことに各セクションは 12 小節です。コンサート E♭ マイナーというキーおよびコンサート B キーで始まり、その後コンサート D キーになるブリッジは演奏するのがやや難しいかもしれません。

## ❑ 学習のポイント

- ■ II-V の多用
- ■ 全音下行する 1 小節の II-V
- ■ 2 小節フレーズのコンセプト
- ■ マイナー II-V の カラー・バリエーション
- ■ メジャーとマイナー II-V の関係

**1** 8 つのキーが出てくる Straight Trane は、本書のエチュードの中で最も II-V への対応力が求められます。

   **a.** 1 小節の II-V：Bm7-E7, Am7-D7, Gm7-C7, Fm7-B♭7, Fm7(♭5)-B♭7, F♯m7-B7

   **b.** 2 小節の II-V：Fm7(♭5)-B♭7, Em7-A7, E♭m7-A♭7, D♭m7-G♭7

**2** 各 A セクションは 4 つの 1 小節 II-V から始まり、最後に曲のキーである E♭ マイナーへと解決します。これらの II-V は全音ずつ下行して次の II-V へと解決していきます。したがって、解決する先にあるはずの I コードは次の小節の II コードになっているということです。

ハード・バップ・ミュージシャンは、1 小節 II-V が連続するときには主にダイアトニックなアイディアを多用する傾向があります。これは、すでにハーモニーの中に十分なテンション＆リリースが含まれており、ラインの V コード上でそれ以上のテンション（オルタード、ディミニッシュなど）を創り出す必要がないからです。次ページの **Ex.18** は、下行する 1 小節 II-V のガイド・トーンを使ったダイアトニック・エクササイズです。他の 6 つのキーでもこれを練習しましょう。

Ex. 18

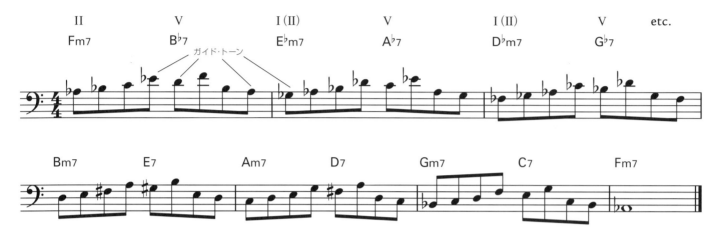

**3** **Monktified** でも述べましたが、複数のアイディアを 2 小節フレーズにまとめることはよくあります。この **Straight Trane** では休符で区切られている（25 ～ 28，61 ～ 64 小節）、複数の II - V - I が連続している（29 ～ 32，45 ～ 48，49 ～ 52，69 ～ 72，77 ～ 80 小節）、2 小節アイディアへ向けたピック・アップとなっている（8 ～ 12，56 ～ 60 小節）などの要素によってアイディアが提示されます。このような 2 小節フレージングの多彩なアプローチはタイミングにもバリエーションを創り出しますが、それも 2 小節フレーズであるがゆえのことでしょう。それらをいくつか覚えて使えるようにしましょう。

**4** マイナー II - V 上では 3 つのサウンドが出てきます。

    **a.** ハーモニック・マイナー（6, 22, 46 小節）

    **b.** オルタード（10, 42, 54 小節）

    **c.** ドミナント 7 ビバップ（69 小節）

ハーモニック・マイナー・アイディアはスムーズなサウンドになることが多いですが、オルタード・アイディアはテンション感が増します。ドミナント 7 ビバップはマイナー II - V に意表を突く明るさをもたらします。

**5** 半音で素早く動くコード・プログレッション上では、同じアイディアを各キーの上でくり返すというテクニックがよく使われます（35 ～ 36 小節）。これはコードに沿った非常にソリッドかつ理論的なサウンドをもたらしますが、特にここではコード・チェンジを織り込んだラインが他のラインとのコントラストを生み出しています。

**6** **Bird And Diz** でも述べましたが、コード／モードの関係や母体となるスケールがわかれば、ある 1 つのアイディアを関連するコード上でも使うことができます。例えば 56 ～ 58 小節では A♭m7 - D♭7 - G♭Maj7 を想定したアイディアも簡単に導き出せますし、Fm7(♭5) - B♭7 - E♭m 上で機能する D♭7 ドミナント・ビバップ・スケールも含めて使えます。なぜならば、A♭ドリアンと F ロクリアンはどちらも G♭ メジャー・スケールから派生するモードだからです。

Ex. 19

# 7. Straight Trane

Jim Snidero

# 8. Freddie 解説

*Freddie Hubbard* はジャズにおけるトランペット・スタイルを発展させた重要なプレイヤーです。彼のサウンドは多くのトランペット・プレイヤーに影響を与え、そのテクニックはトランペットの範疇を超えるものでした。*Hubbard* は 1961 ～ 1966 年にかけて **The Jazz Messengers** に在籍し、1960 年代を通して *Herbie Hancock*, *Dexter Gordon*, *John Coltrane* などの重要なアルバムにサイドメンとして数多く参加しました。自身がリーダーとなってからは、**Blue Note** レーベルのハード・バップ期から **CTI** レーベルのポスト・バップ期へとスタイルを進化させつつ、何曲かのオリジナルはジャズ・スタンダードとなっています。

ブルースで最も一般的なキーはコンサート B♭ (**Monktified**) とコンサート F (**Freddie**) です。このエチュードは *Hubbard* が 1961 年に発表した「Birdlike」というブルースをベースとしています。この時期における *Hubbard* のスタイルはかなり緻密に計算されたもので、事前に用意していたマテリアルを細心の注意を払いながら巧みに使っていました。

## ❏ 学習のポイント

- ■ ファスト・テンポの捉え方
- ■ ファスト・テンポにおけるライン
- ■ ファスト・テンポにおける休み方
- ■ トライトーン II-V
- ■ ドミナント・ビバップ・スケールの 5th と 6th の間に半音を追加する
- ■ 2 小節のターンアラウンド
- ■ よく歌うメロディ

**1** このエチュードの音源にはスロー・バージョンとファスト・バージョンの 2 つのテンポの演奏が収録されています。楽譜にはファスト・バージョンのアーティキュレーションを示してあります。一般的に、トランペットやその他の管楽器ではテンポが速くなるほど特定のアーティキュレーションを伴う音は少なくなります。最初にスロー・バージョンを練習し、エチュードを覚えたらファスト・バージョンへ進みましょう。ファスト・テンポではすべての拍を数えようとすると堅苦しい感じのタイム／サウンドになってしまうので、4 拍のうち 1 拍／ 3 拍目のみを "in 2" で、あるいはさらに速いテンポならば 1 拍目のみを（あるいは 1 小節単位で）感じ取るようにしましょう。

**2** ファスト・テンポでラインを綺麗に演奏しようとするとテクニックが問題となってきますが、その対処法としてはスケールをより長い範囲にわたって使うことが有効です。別々のメロディ素材を選びながら演奏するよりはかなり簡単に演奏できるでしょう（27, 30 ～ 31, 43 ～ 44, 47, 60 小節）。スロー・テンポではスケールを長く使ったフレーズは退屈に感じるかもしれませんが、ファスト・テンポならば問題ありません。

**3** *Hubbard* はファスト・テンポで演奏するときによく長い休符を挟みます。**Miles '63** でも述べましたが、それによって音楽に呼吸をさせ、アイディアを整理します。速いテンポはリズム・セクションにとっても同様に難しく、長い休符は彼らが一体化するチャンスを与え、音楽にリラックスをもたらします。メトロノームを ♩ = 120 くらいにセットし、2 小節演奏／ 2 小節休みという 4 小節パターンを維持する練習をしましょう。

**4** ヘッドの 4 小節では F♯m7 - B7 というトライトーン・サブスティテューションが B♭7 へと解決しています。これ は **Pure Silver** の 44 小節と同じで、F♯ドリアンまたは B ミクソリディアン（♯11th を含まない）に基づくアイディ アです。それによって、B♭7 へ解決する前に効果的なディソナンス（F7 コード上で E 音）を創り出します。以下は トライトーン・サブ II-V を明確に表すアイディアです。サークル・オブ 4th に沿って 12 キーで練習しましょう。

Ex. 20

**5** ヘッドおよびソロ・コーラスのどちらにも、III（Am7）→ ♭III（A♭m7）→ II（Gm7）へと半音下行する**Bird チェンジ**が使われている（7 ～ 9 小節）。これは曲のアウトサイドの音を効果的に活用したカラーリングをも たらし、すべてのブルースにおいて有効なテクニックです。

**6** この時期の *Hubbard* はビバップ・スケールを多用しましたが、特にドミナント・ビバップをよく使いました（31, 41, 44, 59 ～ 60, 67 ～ 68 小節）。**Miles '63** ではダウン・ビートから下行し始めるドミナント・ビバップの 2nd と 1st の間に半音を加えました。**Freddie** の 30 ～ 31, 43 ～ 44 小節では、やはりダウン・ビートから下行し始 めるドミナント・ビバップを使っていますが、6th と 5th の間に半音を加えています。以下は E♭ メジャー・キーの II-V-I で同じコンセプトを用いた例です。これを 12 キーで練習しましょう。

Ex. 21

**7** ブルースの最後 2 小節ではよく 2 小節のターンアラウンドが使われますが、すべてのコーラスでそれを使うと 機械的な印象になってしまいます。**Freddie** のソロ・コーラスでは、最初の 3 コーラスまではターンアラウンド を使わず、ラインが解決する前に長い休符としています。ブルース・フォームではこの部分で一呼吸おくことは 自然なことです。そして 61 ～ 62, 85 ～ 86 小節ではターンアラウンドを使ってソロを次のコーラスへと回して います。ターンアラウンドを使う上では、音楽的に最もふさわしい場所、およびペース配分を判断することが重 要です。

**8** クロマティックまたはコード・サブスティテューションなどの要素とは対照的に、*Hubbard* は鼻歌のようなダイ アトニック・メロディを使うことがあります。時には集合ラッパのようなアイディアも使いますが、それも彼の ソロに素朴な遊び心を加える要素です（23 ～ 25, 51 ～ 54, 65 小節）。

**Track 8**（スロー）/**9**（ファスト）　模範演奏
**Track 20**（スロー）/**21**（ファスト）　プレイアロング

# 8. Freddie

*Jim Snidero*

# 9. One For Sonny 解説

Track 10 模範演奏
Track 14 プレイアロング

ジャズ史上最も重要な2人のテナー・サクソフォン・プレイヤーと言えば、もちろん *John Coltrane* と *Sonny Rollins* であり、ハードバップ期以降のすべてのテナー・プレイヤーに大きな影響を与えています。*Rollins* は非常に斬新なインプロヴァイザーであり、偉大なドラマー *Jimmy Cobb* から直接聞いた話ではまさに1957年当時のシーンを代表する存在でした。その年にレコーディングされたアルバム『One Night At Village Vanguard』に収録されたスタンダード・バラードの「I Can't Get Started」が、**One For Sonny** のベースとなっています（*Coltrane* の「Straght Street」も、「I Can't Get Started」から数ヶ月以内にレコーディングされています）。

多くのジャズ・ミュージシャンは、1950年台半ば〜後半にかけてが *Rollins* の全盛期であると考えており、『Saxophone Colossus』『Tenor Madness』上記の Vanguard など、実際にいくつかの金字塔ともいえるアルバムをレコーディングしています。*Rollins* が最も影響を受けたインプロヴァイザーは *Charlie Parker* ですが、彼は *Parker* のコンセプトをコラージュのように散りばめ、豪快な音色および優れた音楽性と組み合わせたのです。

「I Can't Get Started」は AABA フォームのスタンダードですが、A セクションの3〜4小節に半音下行する II-V があり、そこがやや難しいかもしれません。

## ❏ 学習のポイント

- バラードをより音楽的に演奏するには
- メロディの拡張
- ターンアラウンド・サブスティテューション
- 半音下行する II-V
- IVm-♭VII 進行
- 半音でのサイド・ステッピング

**1** バラードは最も演奏するのが難しいテンポです。確かな音楽性が不可欠であり、ヴォキャブラリー自体は二の次となります。もちろん、音楽性を磨くためには音楽的なアーティストをたくさん聴くことが重要です。音楽性には確かに **X ファクター** が必要で、言葉ではうまく説明できないのですが、アーティストのスピリットや、時代を超えて人々を感動させるようなクォリティを音楽にもたらすものです。

以下は音楽的にバラードを演奏するために必要な3つの要素です。模範演奏をよく聴いて、これらのクォリティを再現できるか試しましょう。

 **a. 音色**：テクニック的な面では、音色はバラード演奏において最も決定的な要素です。*Rollins* は非常に音が大きいだけでなく強力な音の芯があるので、サウンドはまとまってよく響き、より大きなインパクトを与え、表情が豊かに投影されます。サウンドのカラーも豊富で、芯の周りを取り囲む **バズ** が繊細なニュアンスや個性を表現します。これらの要素は、時代を超えて偉大なプレイヤーたちに共通する音色の条件となっています。

**b. ダイナミクスの強弱**：偉大なバラード・プレイヤーは、アンティシペーションやテンション＆リリースなどを創り出すために多彩なダイナミクスの変化を使います。長く延ばす音をわずかに変化させるような繊細なものもあれば、22 ～ 23 小節のようにフレーズを強調する場合もあります。決まったルールがあるわけではありませんが、一般的には高い音ほど大きく、低い音ほど小さく演奏する傾向はあります。

**c. ヴィブラート**：やはり使い方のルールが決まっているわけではなく、過去の用例や傾向があるだけです。スウィング期のアーティストは幅広く速いヴィブラートを音価全体にかけることが多く、ビバップ～ハードバップ期のアーティストは、幅が狭くややゆったりめのヴィブラートを使うことが多いといえます。しかしそれらは個人的なスタイルや好みにもよります。*Rollins* はヴィブラートをよく使いますが *Trane* はほとんど使いません。多くのアーティストを注意深く聴き、彼らがどこでヴィブラートをかけ始めるのか、どれくらいの幅広さなのか、どのようなバリエーションがあるのかに注目しましょう。

**2** バラードでは、メロディを拡張したアイディアを加えることはよくあります。1 ～ 6 小節を各 2 小節ごとに見ていくと、1 小節でスタートしたメロディは 2 小節でリズミック・バリエーションとなり、4 小節では下行 II - V 上のスケール・フラグメント（断片）、6 小節では V7 コード上のオルタード・アイディアとなっています。

**3** 7 ～ 8 小節では III - VI - II - V ターンアラウンド上で半音下行するコード・サブスティテューション（代理コード）が使われており、B♭7 → A7 → A♭7 から II コードの D7（本来は Dm7 だがドミナント・コードに変更されている）、さらには V7 コードの G7alt. へと進行します。コード・サブスティテューションは、リズム・セクションが本来のコード・プログレッションを演奏しているときでも、大体の場合は使うことができます。理論的に可能でありあなたの耳にそのサウンドが聴こえるのであれば、その代理サウンドはよいものになるでしょうし、ソロにもよい影響を与えるでしょう。

**Ex. 22**

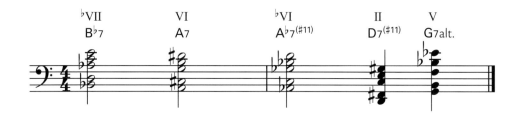

**4** 全音下行する **Straght Trane** の II - V とは異なり、半音下行する II - V（3 ～ 4, 11 ～ 12, 27 ～ 28 小節）は次の II - V の II コードには解決しません。しかし、28 小節の 2 つの II - V（Am7 - D7 と A♭m7 - D♭7）は D7 が II7、D♭7 が ♭II7 であり、それぞれのドミナント・コードの前にリレーテッド IIm7 が付いています。また、D♭7 は G7 のトライトーン・サブスティテューションであるため、A♭m7 - D♭7 は Dm7 - G7 の II - V トライトーン・サブということになり I コード（CMaj7）へと解決します。

**5** 15 小節の 3 〜 4 拍では Fm7 - B♭7 というコード・プログレッションを想定し、IVm7 - ♭VII7 - I という進行で 16 小節の CMaj7 へと解決しています。これは**バックドア進行**と呼ばれ、I コードへ戻るためによく使われるスムースなコード進行です。

Ex. 23

**6** *Rollins* は、遊び心のあるダイアトニック・ラインを複数のキーで使うことがあります。22 小節ではまず C キーのダイアトニック・ラインでスタートし、半音上の C♯ キーに移ってから再び C キーに戻ってきます。これは非常に論理的かつ音楽的な**サイド・ステッピング**、つまりキーの半音ずらしです。

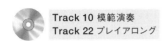

# 9. One For Sonny

Jim Snidero

# 10. Bird 解説

Track 11 (スロー) / 12 (ファスト) 模範演奏
Track 23 (スロー) / 24 (ファスト) プレイアロング

最後のエチュードでは、間違いなく 20 世紀最強のインプロヴァイザーである *Charlie " Bird " Parker* がテーマです。*Sonny Rollins* は *Parker* のことを同世代に生きた "予言者" と呼んでいました。*Parker* が真の天才であり、ジャズに革命をもたらしたと同時にほぼすべての音楽ジャンルに影響を与えたことは疑いの余地がありません。

*Parker* のリズムは、*Dizzy* の言葉を借りるなら "他の星からやってきた" くらい衝撃的で、フレーズやリズムをそれまでとは全く異なる形に変えてしまいました。メロディに関しては同時代では他に類を見ず、ハーモニーに関しても当時としては最先端の解釈をしていました。サクソフォン・プレイヤーとしては、卓越した技術、深みのある音色、非常に複雑なフレージングやアーティキュレーションなどを持ち合わせていました。かつて *George Coleman* は「もしもジャズ史上の偉大なサクソフォン・プレイヤーたちが 1 つのテーブルに会したら、片方のサイドには *Parker* ひとりで、もう片方のサイドにその他全員が座っているだろう」と言いました。要するに、*Parker* は歴代の中でも最高峰に君臨するサクソフォン・プレイヤーだということです。

35 歳という若さで亡くなった直後、ニューヨークのあちらこちらでは *Parker* の壁画が描かれ、今日もそれは残っていますし、今後も変わることはないでしょう。ジャズ・ミュージシャンを目指すのなら *Parker* を避けて通ることはできません。それは、クラシックの作曲家がバッハを避けて通れないのと同じことです。膨大な量の学ぶべきことがあります。

*Bird* は、*Gershwin* の作曲した「I Got Rhythm」と同じコード・チェンジに基づく AABA フォームのエチュードです。これはリズム・チェンジと呼ばれ、ブルースと並んでビバップでは最もよく使われるフォーム/コード・プログレッションで、通常は速めのテンポで演奏します。*Parker* が作曲した「Anthropology」「Thriving On A Riff」「Celebrity」などもリズム・チェンジです。コンサート B♭キーで演奏することが多いですが、他のキーも使います。このエチュードでは 1 〜 2 コーラス目がコンサート B♭キー、3 コーラス目は転調してコンサート E♭キーとなっています。

## ❑ 学習のポイント

- リズム・チェンジ
- ダイアトニック・メロディ
- メロディの流れ
- 非対称形のフレージング
- サブスティテューション
- クォート

**1** Freddie でも述べましたがファスト・テンポでは "in 2"（4 拍のうち 1 拍/ 3 拍目）、もしくは 1 小節（1 拍目のみ）でタイムを感じるようにしましょう。このエチュードは本書で最も速いテンポであり、最も高度なテクニックを要します。*Parker* はファスト・テンポでは長い休符を使わず、8 分音符の長いフレーズを使う傾向があります。したがって、テクニック的な難所が連続します。ファスト・テンポに対応するために、もう一度 Freddie をおさらいしておきましょう。

**2** テンポもさることながら、リズム・チェンジ自体も多くのコードを含むため難しく感じるかもしれません。しかしAセクションはすべてB♭キーのダイアトニック・コードです。したがって、AセクションではB♭ダイアトニック・タイプのメロディを使うことができますし、Aセクションを通してリフを演奏することもできます。そのようなアプローチならば、各コードに沿ったアプローチよりも演奏しやすいでしょう。

**3** Aセクションでダイアトニック・タイプのメロディを演奏するときは、2小節だけ音を調整する(B♭メジャー・キー以外の音を使う)必要があります。1つ目は5小節目でB♭7コードに合わせるためA音をA♭音に、2つ目は6小節目でE♭7コードに合わせるためD音をD♭音に調整します。これは基本的に1〜6小節のサウンドを素直に表しており、純粋なダイアトニック・メロディのA♭音とD♭音だけを調整すると次のようになります。

Ex. 24

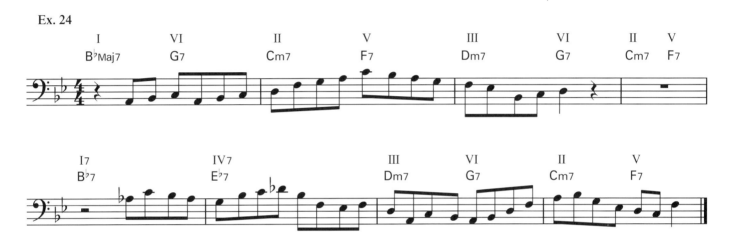

**4** すべてのAセクションをダイアトニックなアイディアだけで演奏することも可能ですが、そうするとやや退屈なサウンドになるかもしれません。**Amazing Bud** ではAセクションの冒頭2小節でダイアトニック・アイディアを使い、次の2小節ではコード・チェンジに沿っていました。これはリズム・チェンジでも定番的なアプローチです(33〜36, 41〜45, 73〜76小節)。メロディに関してはバランスのよいアプローチを見つけることを忘れないようにしましょう。

**5** このエチュードで特に重要なポイントは、ラインが互いにどのように関係/補完し合っているのかということで、そのバランスや力関係が音楽に生命感をもたらします。例えば、5〜10小節のラインは比較的狭い音域(約1オクターヴ)に収まっていますが、代理コードを多用することで興味深いサウンドとなっています。次のラインはより高く広い音域ですが代理コードは少なく、前のラインとは対照的です。

**6** 前ページでも述べましたが、*Parker* は突出したリズム・センスの持ち主でした。それはリズム・アイディアだけではなく、非対称形フレーズや拍子を錯覚させるような効果も創り出しています(**Monktified** 参照)。

- 9〜10小節:音のグルーピングを使って4/4拍子上で3/4拍子を感じさせる
- 13, 61, 63, 77小節:ラインの解決を1拍目ではなく3拍目まで遅らせている
- 25小節:1〜2拍目でディミニッシュな・コードを想定し、3拍目に解決を遅らせることで、3拍目を1拍目に感じさせる
- 29〜31小節:音のグルーピングを使って4/4拍子上で3/4拍子を感じさせる
- 41〜42小節:8小節前と同じシェイプのメロディを異なる始点(3拍目)から始めることで、拍子が変わったような効果を生み出す
- 71, 89小節:最終的な解決を4拍目まで遅らせている
- 84〜86小節:ラインを3拍目ではなく4拍目から始めることで拍子が変わったような効果を生み出す

これらはすべてタイムに浮遊感をもたらし、小節の 1 拍目が変わったように感じます。メロディのバランス、ハーモニーの多彩さ、リズムの仕掛けを組み合わせることができたら、あなたも素晴らしいソロを演奏できるでしょう。

**7** リズム・チェンジのブリッジにおける基本的なコード・プログレッションは、各コード 2 小節ずつの III7-VI7-II7-V7（D7-G7-C7-F7）です。しかしこのエチュードでは、各ドミナントの前にリレーテッド II マイナーが配置されて 2 小節の II - V を形成しています（Am7-D7，Dm7-G7，Gm7-C7，Cm7-F7）。ブリッジはドミナント・ビバップ・スケールを使うのに最適な場所ですが、**Miles '63** や **Freddie** で学んだように半音をスケールに追加するのも効果的です。

**8** *Parker* が使ったハーモニック・コンセプトの中でも非常にユニークなものの 1 つに**代理コードを先に演奏してから本来のコードを演奏する**というものがあります（通常はこの逆です）。例えば、17 小節では D7 コードのトライトーン・サブスティテューション（A♭7 コード）を使い、次の小節では D7 コードに沿ったラインになっています。これと似たことは **Bird And Diz** の 53 〜 54 小節でも起きており、A♭7 コード上で D7alt. を想定したラインから A♭7（A♭ミクソリディアン）へと切り替わっています。

**9** A セクションではどの部分でもディミニッシュ・アイディアを使うことが可能で（29 〜 31 小節など）、サスペンド感のあるハーモニーによってラインを変化させることができます。ここでは A セクションの最後に使っていますが、冒頭で使ったとしても機能します。

**10** 41 〜 42 小節では、33 〜 34 小節に出てきた *Parker* の定番フレーズをマイナー 3rd 上げて（D♭ キーにして）くり返しています。これは非常によいサウンドですしハーモニー的にも機能します。なぜならば、このフレーズは B♭ キーの IV マイナー（E♭m7）と同じ音を含んでおり、それが I コードへスムーズに解決するからです。

**11** *Parker* は、他の曲からメロディ／フレーズを引用することでユーモアを表現することを好みました。彼は特にストラヴィンスキーを好み、しばしば「ペトルーシュカ」から引用しています（72 〜 74 小節）。このエチュードでは A セクション冒頭にこのダイアトニック・メロディを配置していますが、これもやはりタイミングが重要です。

Charlie Parker,
Three Deuces, New York, N.Y., ca Aug 1947

# 10. Bird

*Jim Snidero*

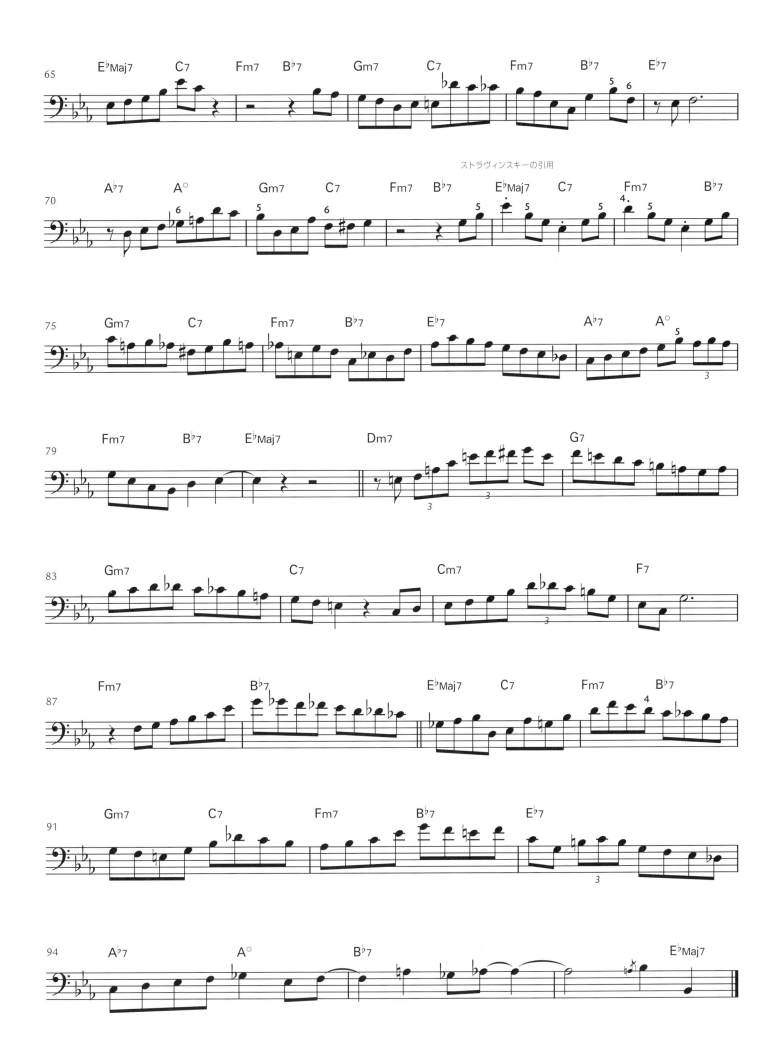

ストラヴィンスキーの引用

# 巻末付録　Appendix

## インタビュー：Ken Peplowski（ケン・ペプロウスキー）
## 〜 Sonny Stitt から学んだこと 〜

*Ken Peplowski* はクリーヴランド近郊出身の偉大なクラリネット／テナー・サクソフォン
プレイヤーです（クラリネット編を参照）。彼は *Sonny Stitt* が町を訪れた際に実際に演
奏を聴き、レッスンを受けた経験があります。*Stitt* は類まれなテクニックと正確さをも
つジャズ史上最も重要なサクソフォン・プレイヤーの 1 人で、*John Coltrane* や *George
Coleman* などにも影響を与えています。

**Jim:** あなたは *Sonny Stitt* のライヴをたくさん見ていますが、彼が特に好んでよく演奏
していた曲は？

**Ken:** ブルースとリズム・チェンジは常にやっていました。あと「Cherokee」「Lover
Man」も。でも彼は信じられないくらい膨大なレパートリーを持っていて、多分君も驚く
ほどだと思う。彼とのレッスンに 1001 曲集（いわゆる分厚いスタンダード曲集）を持っ
て行ったことがあるんだけど、彼は目次の曲名を一通り見ただけでたくさんの曲を吹い
てくれたんだ。しかも通常のキー以外でも、彼がその時にふさわしいと思ったキーで自
在に吹いていたね。

**Jim:** 彼がどんな曲（メロディ／コード／その他すべて）をどんなキーでも自在に演奏でき
るという話は聞いたことがあります。

**Ken:** それは間違いないと思う。彼は私がこれまでに見てきた中でも最も優れた相対音感
の持ち主で、メロディ・ノートとコードの関連性においても同様に鋭かったね。彼の頭の
中にしか無いものだけど。彼のレッスンではナンバー・システム（II - V - I など）やアー
ティキュレーションなどには一切触れず、彼が私にお手本を吹いて聴かせ、私はそれら
（II - V - I／ディミニッシュ・コード／その他）を聴き取りました。彼の頭の中には各フレー
ズのアーチ（シェイプ）はもちろん、曲全体の中でそれらがどのように作用し合うのかも
聴こえていたんだと思います。

**Jim:** *George Coleman* から直接聞いたのですが、*Stitt* は楽器の演奏技術が本当に凄くて、
サクソフォンに関するほぼすべてのことを知っているのではないかと。それに関しては
レッスンで何か教わったりしたのですか？

**Ken:** そうですね、1 つはブレスについてです。通常はみぞおちの辺り（横隔膜）を意識的
に使ってエアを支えますよね。しかし足先から頭のてっぺんまでをすべてエアで満たすよ
うなイメージでした。彼は、部屋の一番後ろまで響くようなサウンドを生み出す必要が
あると言っていましたし、実際にアルトでもテナーでも美しくよく響くサウンドでした。
また、すべては音楽のためであり、何を演奏するか次第であるといったように、哲学的
なこともよく話してくれました。

**Jim:** 面白い話を聞いたことがあるのですが、彼が出すひっかけ問題で「サクソフォンにはいくつのキーがあると思う？」というやつ。

**Ken:** そうそう！ 君がどちらの解釈で答えたとしても間違いになるやつ！

**Jim:** ステージ上の演奏に関しては何か言われましたか？

**Ken:** これも面白い話なんだけど、当時私は自分で見つけた地元のリズム・セクションと演奏していたのですが、彼は常にそうしていました（1人で移動し、各地で地元のリズム・セクションと演奏していた）。3人の初対面ミュージシャンと演奏する上での規律／流儀を話してくれたのですが、もしもその内の1人とだけうまく演奏しようとすると他の2人を遠ざけることになるし、誰ともうまく演奏できないと自分1人だけで演奏することになると言うのです。彼はこのことをずっと厳守してきたようで、その並外れたタイム感でリズム・セクション全員の演奏レベルを引き上げる様子を何度も目撃しました。

**Jim:** *Stitt* から出された練習課題は？

**Ken:** ありましたが、それらは主に何かしらを彼が演奏で示し、私がそれを再現するというものでした。II-V-I エクササイズを書き出したことも一度だけありました。私が思うに、当時のプレイヤーたちにとっては II-V-I がすべての土台だったでしょう。当時の曲の大部分においてそれを聴くことができますしね。

**Jim:** *Phil Woods* のレッスンを受けていた時に、ジャズの 75％は II-V-I でできていると言われたことがあります。

**Ken:** 確かに！それがジャズですからね。私も *Phil* のレッスンを受けたことがありますが、ほとんどはその内容でした。*Phil* が具体例を書き出し、実際にアーティキュレートして聴かせる。*Stitt* が "やってごらん" と言って私にやらせたのと同じですね。

**Jim:** *Stitt* に関して他に何か言っておきたいことは？

**Ken:** 彼は、曲、チェンジ、曲のアーチ（シェイプ）などを歌うセンスを間違いなくもっていました。すべてのサクソフォン・プレイヤーの中でも特にそうなんですが、どんな状況においても彼の演奏は安定しており、常に非常に高いレベルを維持しています。これは本当に凄いことです。

## おすすめの音源／動画　Suggested Listening & Videos

### Monktified
- 『*Thelonious Monk Trio*』(Prestige)
- Thelonious Monk Quartet
  『*Live at Carnegie Hall*』(Blue Note)
- Thelonious Monk 『*Blue Monk*』(YouTube video)

### The Messengers
- Art Blakey and the Jazz Messengers
  『*Moanin'*』(Blue Note)
- Bobby Timmons 『*Moanin'*』(Riverside)
- Art Blakey and the Jazz Messengers
  『*Live in Belgium 1958*』(YouTube video)

### Amazing Bud
- Bud Powell 『*The Amazing Bud Powell*』(Blue Note)
- Hank Mobley 『*Mobley's Message*』(Prestige)
- Art Blakey and the Jazz Messengers
  『*Live in Paris 1959*』(YouTube video)

### Pure Silver
- Horace Silver 『*Horace-Scope*』(Blue Note)
- Chet Baker 『*Live In London Vol. 2*』(Ubuntu)
- Louis Hayes 『*Serenade for Horace*』(Blue Note)

### Miles '63
- Miles Davis 『*Miles In Europe*』(Columbia)
- Miles Davis 『*'Round about Midnight*』(Columbia)
- Miles Davis 『*My Funny Valentine*』(Columbia)

### Bird And Diz
- Dizzy Gillespie 『*Hot House*』(Guild)
- 『*Jazz at Massey Hall*』(Debut Records)
- Charlie Parker and Dizzy Gillespie
  『*Hot House*』(YouTube video)

### Straight Trane
- John Coltrane 『*Coltrane*』(Prestige)
- Kenny Garrett 『*African Exchange Student*』(Atlantic)
- Eric Alexander 『*Solid*』(Milestone)

### Freddie
- Freddie Hubbard 『*Ready For Freddie*』(Birdlike)
- Freddie Hubbard 『*Birdlike 1967*』(YouTube video)
- Freddie Hubbard
  『*Birdlike, Mt Fuji Jazz Festival*』(YouTube video)

### One For Sonny
- Sonny Rollins
  『*A Night At The Village Vanguard*』(Blue Note)
- Charlie Parker 『*The Complete Master Takes*』(Verve)
- 『*Nancy Wilson / Cannonball Adderley*』(Capitol)

### Bird
- Charlie Parker 『*Thriving On A Riff*』(Savoy)
- Charlie Parker And The All-Stars
  『*Summit Meeting At Birdland*』(Columbia)
- Charlie Parker 『*Celebrity*』(YouTube video)

## 参考文献　Suggested Reading

- Gary Giddins : *Celebrating Bird* (Beech Tree)
- Dizzy Gillespie with Al Fraser : *To Be Or Not To Bop* (Da Capo)
- Miles Davis with Quiney Troupe : *Miles* (Simon and Schuster)
- J.C. Thomas : *Chasin' The Trane* (Da Capo)
- Ralph Gleason : *Conversations In Jazz* (Yale University Press)
- Richard Cook : *Blue Note Records  The Biography* (Justin, Charles and Company)

# 著者とミュージシャンについて　About The Author And The Musicians

## *Jim Snidero*　ジム・スナイデロ

ニューヨーク在住のアルト・サクソフォン・プレイヤー／作曲家。

EMI ／ Milestone ／ Savant その他のレーベルからソロやサイドマンとして 50 以上の作品をレコーディングし、Downbeat Magazine のクリティクスおよびリーダーズポールに輝く。またジャズ・コンセプション・シリーズの著者としてもよく知られ、インディアナ大学／プリンストン大学の教授として、ニュースクール／コンテンポラリー・ミュージックの講師としても活躍する。

セルマー・サクソフォン、ダダリオ・リードを使用。

ジム・スナイデロ ウェブサイト　**www.jimsnidero.com**

## *Michael Dease*　マイケル・ディーズ

Michael Dease はジュリアード音楽院のジャズ科第 1 期生の当時からダウンビート誌の人気投票に選出され、今日の主要なジャズ・アーティストたちと数多く演奏／レコーディングしています。リーダー作品もリリースしており、ミシガン州立大学では教授を務めています。

## *Mike LeDonne*　マイク・ルドーン

ジャズ史上においても数少ない、ピアノとオルガンの両方に精通するミュージシャン（Downbeat クリティクス・ポールに輝く）。どちらの楽器でもソロアルバムを多数発表しており、サイドマンとしても 60 以上の作品に参加。Sonny Rollins, Milt Jackson, Benny Golson, Ron Carter, George Coleman といった歴史的プレイヤーたちのピアニストを務め、ジュリアード・ジャズ @ リンカーンセンターでは後進の指導に当たる。

## *Peter Washington*　ピーター・ワシントン

同世代では圧倒的に多くのレコーディングに参加しているベーシストで、参加アルバムは 400 枚を超える。1980 年代初頭、ニューヨークに来るとすぐ Art Blakey and The Jazz Messengers のメンバーとなり、以降 Dizzy Gillespie, Freddie Hubbard, Cedar Walton, Jackie McLean などと共演する。また長年にわたり Tommy Flanagan Trio のメンバーでもある。

## *Joe Farnsworth*　ジョー・ファンズワース

現代のニューヨーク・ジャズシーンにおいて最も売れっ子のドラマーであり、参加アルバムは 100 枚を超える。McCoy Tyner, Cedar Walton, Horace Silver などジャズ史上の名だたるピアニストたちのトリオで、さらに Pharaoh Sanders グループのドラマーであり、Johnny Griffin, George Coleman, Lou Donaldson などとも共演している。One For All セクステットのオリジナル・メンバーでもある。

## 推薦のことば   Recommended Words

素晴らしい出来栄えだと思います。理論的な説明や練習方法はわかりやすく、ソロの内容および各コンセプトの説明に関しても最高です。ジャズを学びたい学生にもプロフェッショナルにも強く勧めたいと思います。

*George Coleman*
NEA Jazz Master / member of Miles Davis Quintet (1963~64)

ビバップ・マスターたちの最もよく知られている曲やコンセプトをスタイル的に分析したエチュードおよびプレイアロングは、まさにエッセンス・オブ・ビバップ（The Essence of Bebop）です。間違いなく効果的な教則本です！

*Randy Brecker*
GRAMMY winner / member of Horace Silver Quintet (1968~74)

エッセンス・オブ・ビバップではビバップにおける複雑なハーモニー／メロディを深く掘り下げ、驚異的とも思えるフレーズがどのように組み立てられているのかをわかりやすく提示します。それはコード・チェンジを心の中で歌うための方法ともいえます。インプロヴィゼイションに関する不安は取り除かれ、あなたを音楽と練習に集中させることでしょう。

*Jamey Aebersold*
NEA Jazz Master / Legendary jazz educator

# ジム・スナイデロ

## ジャズ・コンセプション・シリーズ

各エチュードごとに「学習のポイント」と「演奏のコツ」など、
具体的な解説を掲載。楽譜内にもフレーズの解説が掲載。

付属CDを聴き込み、模範演奏をまねて演奏する／マイナスワン・
トラックに合わせて楽譜を見ながら演奏する／自身でオリジナル
のソロ・フレーズを創る／楽譜を使って読譜練習をする／CDか
ら採譜してイヤートレーニングをするなど、アイディア次第でさ
まざまな使用法が可能。

付属CDにはニューヨークの一流ミュージシャンが演奏。
他にはない "本物" のジャズを体験！

©Earl and Sedor Studios

---

## スタンダード曲やブルースなどの定番曲のコード進行と プレイアロング（模範演奏 & マイナス・ワン）CDで学ぶ
# 楽器別／レベル別練習曲シリーズ

### 初級編
楽器もジャズもイチからやりたい
はじめてのジャズ・エチュード

**はじめてのジャズ・エチュード**
**イージー・**
**ジャズ・コンセプション**
**トロンボーン**

ソロイスト：Slide Hampton
エチュード：全15曲掲載
定価：本体 3,000 円 + 税

### 中級編
楽器は演奏できるのにジャズらしくならない
中級者へのステップアップ

**インターミディエイト・**
**ジャズ・コンセプション**
**トロンボーン**

ソロイスト：Steve Davis
エチュード：全15曲掲載
定価：本体 3,300 円 + 税

### 上級編
王道のエチュード & マイナスワン
シリーズ上級編

**本格的ジャズ・エチュードの定番**
**ジャズ・コンセプション**
**テナー & バス・トロンボーン**

ソロイスト：Conrad Herwig
エチュード：全21曲掲載
定価：本体 4,000 円 + 税

トロンボーンのための
## コーディネーション・トレーニング・プログラム

著者：Bart van Lier（バート・ファン・リール）
定価：本体 2,300 円＋税

シラブルで歌う
## ワイクリフ・ゴードン トロンボーン・テクニック

著者：Alan Raph（アラン・ラフ）
定価：本体 2,500 円＋税

**身体全体を正しく使って演奏するために
必要なテクニックの組み合わせ方を学ぶ**

トロンボーン・プレイヤーが息／唇／舌の適切のコーディ
ネーション（協調、適切な組み合わせ）を行うためのシス
テムを紹介。練習していくうちに、演奏に使われてい
るテクニックの要素が明らかになります。本書で紹介さ
れているプログラムと、他のトロンボーン教材を組み合
わせて使用することも大変効果的です。

**言葉をしゃべるように歌うように吹く**

トロンボーン奏者ワイクリフ・ゴードンへのインタビューを
軸にまとめられた教則本。メロディを歌うとき、なぜ「タ
タタタ」より「ダダダダ」と歌う方が音楽的で、かつトロ
ンボーン演奏に役立つのか。本書は子音と母音の関係性
をトロンボーン演奏に活かす、ワイクリフの画期的なアプ
ローチを解き明かしています。クラシックからジャズまで
幅広いジャンルの中級〜上級レベルにおすすめです。

## 翻訳・監修者プロフィール

### 佐藤 研司（Sato Kenji）

サックス・プレイヤー／コンポーザー／アレンジャー

バークリー音楽大学にてジョー・ヴィオラ、ジョージ・ガゾーンらに師事した後、ジョージ・ラッセルのもとに学び、リディアン・クロマティック・
コンセプトの公認講師資格を得る。1998年に帰国以来さまざまなシーンでパフォーマー／音楽講師として活動中。トラディションは大事にする
がジャンルを問わない自然派アーティストを目指し、自作楽器での演奏なども行う。また、ATN の海外教則本、DVD などの翻訳／監修を担当。

## ご注文・お問い合わせは

 ホームページ **https://www.atn-inc.jp**

 お電話
10:00〜18:00
（土・日・祝日は除く） **03-6908-3692**

✉ メール **info@atn-inc.co.jp**

# ATN, inc.

## ビバップ・エチュード
### トロンボーン

SNIDERO
The Essence Of Bebop
10 great studies in the style and language of bebop

TROMBONE

3773-1

発 行 日　2021年 8月10日（初版）
著　　　者　Jim Snidero（ジム・スナイデロ）
翻訳・監修　佐藤 研司
楽譜校正　富山 渡
発行・発売　株式会社 エー・ティー・エヌ
© 2021 by ATN,inc.
住　　　所　〒161-0033
　　　　　　東京都新宿区下落合 3-12-21 目白エミネンス102
　　　　　　TEL 03-6908-3692　FAX 03-6908-3694
ホームページ https://www.atn-inc.jp

ISBN978-4-7549-3773-7